迪士尼 **流利阅读** 第

小鹿斑比

童趣出版有限公司编　人民邮电出版社出版

北　京

hěn jiǔ hěn jiǔ yǐ qián   yǒu yí piàn mào mì de dà sēn lín   sēn lín li yǒu
很久很久以前，有一片茂密的大森林，森林里有

qīng chè de xī liú   yǒu gǔ lǎo gāo dà de shù mù   zhè lǐ shēng huó zhe gè zhǒng
清澈的溪流，有古老高大的树木……这里生活着各种

gè yàng de xiǎo dòng wù
各样的小动物。

yòu yí gè qīng chén dào lái le   jīng guò le yí gè yè wǎn xiū xi de sēn lín
又一个清晨到来了，经过了一个夜晚休息的森林

huī fù le bái tiān de rè nao
恢复了白天的热闹。

_{kuài xǐng xing} _{kuài xǐng xing} _{bù zhī shì shéi yí dà qīng}
"快醒醒！快醒醒！"不知是谁一大清

_{zǎo de jiù zài sēn lín li dà shēng jiào zhe}
早的就在森林里大声叫着。

“发生了什么事情？”刚刚回到树上准备休息的猫头鹰被惊醒了，一边打着哈欠，一边不紧不慢地问道。

“一个新的王子诞生了！”小兔子桑普在森林里兴奋地跳着，叫来了刚从睡梦中醒来的动物们，“我们要去看看刚出生的宝宝！我们最好动作快一点儿！”

shì	zhǔn	bèi
事	准	备

"真可爱啊！"森林里的小动物们从四面八方赶来，纷纷赞叹道。"哦，这真是一个特别的时刻，一个小王子出生了。"猫头鹰也飞过来了，"我们应该对你表示祝贺。"

鹿妈妈抬起头，幸福地说："谢谢，谢谢。"鹿妈妈用鼻子轻轻地碰了碰小鹿："来吧，醒醒。"妈妈叫醒了小鹿。

小鹿慢慢睁开了眼睛，抬起头，好奇地望着周围。他看起来害怕极了，不断地往妈妈的身子底下钻。

6

tái　hài　zuān

抬　害　钻

7

刚出生不久的小鹿想自己站起来，可是他细细的腿撑不住他的身体，小鹿一下坐到了地上。大家看着小鹿可爱的动作，大声笑了起来。

"看！我们的小鹿看起来有点儿困了，我们还是先回家吧！"猫头鹰对动物们说。"你打算给他起个什么名字呀？"

小兔子桑普不舍得离开，要走的时候转过身问鹿妈妈。

鹿妈妈想了一下，说："我想，我要叫他斑比。"

"斑比，是个好名字！"小兔子桑普重复道，"我叫桑普。"

小兔子桑普说完就一跳一跳地离开了。小鸟们也悄悄地飞走了。

chóng

重

不久，斑比就能四处跑动了。这天早晨，他跟着妈妈在森林里散步。夏天的森林格外美丽：茂密高耸的大树指向蓝蓝的天空，鲜花舒展了它们的花瓣，有红的、白的、黄的，花朵上还留着新鲜的露珠，晶莹剔透。

xīn	jīng
新	晶

这一切都吸引着刚出生不久的斑比，他跟着妈妈沿着林间小路向前走着，一路上动物朋友们看到他都很热情，纷纷跟他打招呼："早上好啊，小王子！"

xiàng　zhāo　wáng

向　招　王

13

突然，一只鼹鼠从地下钻出来，站在小鹿斑
比的鼻子前跟惊奇的斑比说："早晨好！真是个
好天气！"说完又钻回了地下。斑比觉得有趣极
了，沿着鼹鼠留下的印迹飞快地跟了去。没想到
被旁边的草叶绊了一下，整个身子趴在了地上。

lù	bí	zhěng
鹿	鼻	整

guān wěn bèi cán kuì
关 稳 备 惭 愧

xiǎo wáng zǐ bèi bàn dǎo le　　nǐ shòu shāng le ma
"小王子被绊倒了，你受伤了吗？"

xiǎo tù zi sāng pǔ kàn dào le bān bǐ　guān xīn de wèn
小兔子桑普看到了斑比，关心地问。

ò　　méi guān xi　tā méi shòu shāng　　lù mā ma xiào zhe shuō
"哦，没关系，他没受伤。"鹿妈妈笑着说。

xiǎo tù zi sāng pǔ shuō　　bān bǐ zǒu lù hái bú shì hěn wěn ne
小兔子桑普说："斑比走路还不是很稳呢……"

sāng pǔ　　zǎo chen bà ba gēn nǐ shuō guo shén me lái zhe　　tù mā ma
"桑普，早晨爸爸跟你说过什么来着？"兔妈妈

dǎ duàn le sāng pǔ　zé bèi tā shuō
打断了桑普，责备他说。

ò……bà ba shuō le　　rú guǒ shuō bu chū shén me hǎo tīng de huà lái hái
"哦……爸爸说了，如果说不出什么好听的话来还

16

bù rú bù shuō xiǎo tù zi sāng pǔ cán kuì
不如不说……"小兔子桑普惭愧

de huí dá dào
地回答道。

jiā yóu bān bǐ zài shì yí cì
"加油，斑比，再试一次。"

lù mā ma gǔ lì bān bǐ zhàn qǐ lái
鹿妈妈鼓励斑比站起来。

xiǎo tù zi men yě gěi xiǎo lù bān bǐ jiā
小兔子们也给小鹿斑比加

yóu xiǎo bān bǐ yòng tā xiān xì yòu bú tài líng huó
油。小斑比用他纤细又不太灵活

de tuǐ nǔ lì de zhàn le qǐ lái
的腿努力地站了起来。

qíng	zhǎ	chōng	bàn	gǔ	lì
情	眨	充	伴	鼓	励

斑比跟着他的小伙伴们到森林里尽情玩耍，小
斑比眨巴着一双大眼睛，使劲儿地看着周围的世
界，心里充满了好奇。小兔子桑普一直陪伴在他的
左右，带他钻过树洞，鼓励他跳过路障。

huǒ
伙

yì qún xiǎo niǎo zài shù shang jī ji zhā zhā de jiào zhe　bān bǐ hào qí de
一群小鸟在树上叽叽喳喳地叫着，斑比好奇地

kàn zhe tā men
看着他们。

nà xiē shì xiǎo niǎo　　sāng pǔ gào su bān bǐ　　niǎo　niǎo
"那些是小鸟。"桑普告诉斑比。"鸟，鸟。"

bān bǐ chóng fù zhe　　kàn a　tā huì shuō huà le　　sāng pǔ gāo xìng de gēn
斑比重复着。"看啊，他会说话了。"桑普高兴地跟

huǒ bàn men shuō
伙伴们说。

21

sāng pǔ tè bié xǐ huan gěi bān bǐ dāng lǎo shī　　nài xīn de jiāo bān bǐ rèn shi
桑普特别喜欢给斑比当老师，耐心地教斑比认识

zhōu wéi de dōng xi
周围的东西。

yì zhī piào liang de hú dié zài kōng zhōng fēi wǔ　　bān bǐ dīng zhe hú dié wèn
一只漂亮的蝴蝶在空中飞舞，斑比盯着蝴蝶问

dào　　　　nà ge měi lì de xiǎo dōng xi shì shén me ya　　sāng pǔ shuō　　　shì
道："那个美丽的小东西是什么呀？"桑普说："是

hú dié
蝴蝶。"

hú　　　hú dié　　bān bǐ yì biān gēn zhe tā shuō　　yì biān yòng jīng
"蝴——蝴蝶。"斑比一边跟着他说，一边用惊

qí de yǎn guāng wàng zhe jiàn jiàn fēi yuǎn de hú dié
奇的眼光望着渐渐飞远的蝴蝶。

nài
耐

sāng pǔ dài zhe bān bǐ lái dào yí piàn cǎo dì　　zhè lǐ kāi mǎn le wǔ yán

桑普带着斑比来到一片草地，这里开满了五颜

liù sè de xiān huā　　fāng xiāng pū bí　　sāng pǔ xué zhe lǎo shī de kǒu wěn wèn bān

六色的鲜花，芳香扑鼻。桑普学着老师的口吻问斑

bǐ　　　　nǐ zhī dào zhè shì shén me ma　　bān bǐ bù jiǎ sī suǒ de huí dá

比："你知道这是什么吗？"斑比不假思索地回答：

shì hú dié ba　　　　bù　　zhè shì huā　　sāng pǔ xiào de wǔ zhe dù zi

"是蝴蝶吧？"　"不，这是花。"桑普笑得捂着肚子

zài dì shang zhí dǎ gǔnr

在地上直打滚儿。

wǔ	gǔn
捂	滚

“好香啊！”斑比在五颜六色的花丛中跑来跑去。忽然，他发现花丛里有一只黑脑袋钻了出来，那双亮亮的眼睛正好奇地打量着自己。斑比忙问桑普：“花？这也是花吗？”桑普还没来得及回答，小鼬鼠花尾就抢答说：“如果你高兴，就叫我花好了。”于是，斑比又多了一个朋友。

liàng

量

夜晚的森林里下起了雨。雨滴打在树叶上，落在小斑比的鼻子上，汇入溪流中……整个森林像奏起了一首美妙的曲子，深深地吸引着斑比。忽然一道闪电照亮了天空，紧接着又是一声炸雷，斑比惊恐地钻进了妈妈的怀里。

bān bǐ fēi cháng xǐ huan gēn mā ma zài yì qǐ　mā ma jiāo tā shén me
斑比非常喜欢跟妈妈在一起，妈妈教他什么，

tā dōu huì yòng xīn xué
他都会用心学。

有一天，妈妈带他到森林里玩。斑比看见前面有一个池塘，便兴奋地跑了过去。他刚想把嘴伸到池塘里喝水，突然发现池塘里也有一只小鹿把

chí	shēn	xià	pà
池	伸	吓	怕

zuǐ ba shēn guò lái　　　tā xià le yí tiào　　shuǐ li zěn me yǒu yì zhī gēn zì jǐ
嘴巴伸过来，他吓了一跳。水里怎么有一只跟自己

yì mú yí yàng de xiǎo lù　　bān bǐ gǎn jǐn pǎo huí mā ma shēn biān　　mā ma téng
一模一样的小鹿？斑比赶紧跑回妈妈身边。妈妈疼

ài de xiào zhe shuō　　　　bú yào pà　　nà shì nǐ zì jǐ de dào yǐng a
爱地笑着说："不要怕，那是你自己的倒影啊。"

33

喝 娜

bān bǐ tīng mā ma zhè yàng shuō
斑比听妈妈这样说，

biàn fàng xīn le　　tā hé mā ma yì qǐ
便放心了。他和妈妈一起

huí dào chí táng biān　　dà kǒu dà kǒu de
回到池塘边，大口大口地

hē qǐ shuǐ lái　　kě shì　　shuǐ li hái
喝起水来。可是，水里还

yǒu lìng wài yí gè dào yǐng　　nà yòu shì
有另外一个倒影，那又是

shéi ne
谁呢？

nǐ hǎo a　　bān bǐ
"你好啊！斑比！"

lìng yí gè dào yǐng duì tā shuō
另一个倒影对他说。

mā ma gào su bān bǐ　　　bié
妈妈告诉斑比："别

pà　　zhè shì xiǎo lù huā nà　　tā xiǎng
怕，这是小鹿花娜，她想

hé nǐ jiāo péng you a
和你交朋友啊！"

huā nà shì zhī huó pō de xiǎo mǔ lù　　tiáo pí de huā nà dài zhe bān bǐ
花娜是只活泼的小母鹿，调皮的花娜带着斑比

zhuō mí cáng　　wán yóu xì　　bān bǐ màn màn de hé huā nà shú xi le qǐ lái
捉迷藏、玩游戏，斑比慢慢地和花娜熟悉了起来。

màn　shú

慢　熟

他俩正玩得高兴，忽然，斑比看到一群鹿向森林边上跑去。这时，一只威风凛凛的公鹿从树林里走出来，鹿群安静了下来，纷纷为这只公鹿让出一条路来。小鹿目不转睛地看着这只公鹿。公鹿走过斑比的身边，停下来看了斑比一眼，又继续向丛林走去。

"妈妈，他停下来看了我一眼！为什么大家这么尊敬他？"斑比问妈妈。

tā shì nǐ de bà ba　　shì wǒ
"他是你的爸爸，是我
men zhōng zuì piào liang　　zuì yǒng gǎn
们中最漂亮、最勇敢
de lù　　　mā ma wēn róu de gào
的鹿。"妈妈温柔地告
su bān bǐ
诉斑比。

liǎ	hū	zhuǎn	jìng	yǒng	gǎn
俩	忽	转	敬	勇	敢

huāng chōng jiāo jí
慌 冲 焦 急

40

这时，许多动物慌
慌张张地从他们身边
跑过去，差点儿把他撞
倒。花娜的妈妈也带着
花娜跑开了。斑比和妈
妈被大家冲散了。正当
斑比焦急地寻找妈妈的
时候，那只威风的公鹿
来到了他的身边，带着
斑比找到了他的妈妈。

一声枪响过后，树林里又恢复了平静。鹿妈妈告诉斑比，刚才是人类在森林里猎杀了动物。

43

冬天来了，大雪纷飞，大地变成了银色的世界。斑比往外一望，叫道："妈妈，看，外面变白了，多么美丽呀！"他高高兴兴地跑出去，可是还没走几步，就咕咚一声跌倒了。

世界　咕咚
shì jiè　gū dōng

fú

扶

wàng zhe sāng pǔ zài bīng miàn shang huá lái huá qù　 bān bǐ xiàn mù jí le
望着桑普在冰面上滑来滑去，斑比羡慕极了。

sāng pǔ pǎo guò qù bǎ bān bǐ fú qǐ lái　 shuō　　 bān bǐ　 nǐ hái bù
桑普跑过去把斑比扶起来，说："斑比，你还不

dǒng zěn yàng zài bīng shang xíng zǒu　 ràng wǒ lái jiāo nǐ ba　　 bān bǐ hé sāng pǔ
懂怎样在冰上行走，让我来教你吧！"斑比和桑普

zài bīng shang gāo xìng de wán zhe　　 tā men hái zài shù dòng li kàn dào le zhèng zài dōng
在冰上高兴地玩着。他们还在树洞里看到了正在冬

mián de xiǎo yòu shǔ huā wěi
眠的小鼬鼠花尾。

gài	yán	dǐng	è
盖	严	顶	饿

xuě jǐng suī měi　　kě hòu hòu de jī xuě bǎ dà dì zhē gài de yán yán shí
雪景虽美，可厚厚的积雪把大地遮盖得严严实

shí　　bān bǐ yǐ jīng hǎo jǐ tiān zhǎo bu dào dōng xi chī le　　lù mā ma dài zhe bān
实，斑比已经好几天找不到东西吃了。鹿妈妈带着斑

比顶着风雪向前走着。一阵寒风吹来，冻得他直发抖。

"冬天多么漫长啊。"饿着肚子的斑比对妈妈说。

妈妈说："冬天虽然漫长，但是春天也很快就要到了。"

这天，太阳出来了，雪开始渐渐融化，青青的小草从潮湿的地里钻了出来。鹿妈妈兴奋地带着斑比来到雪地上找食物。

jiàn	cháo
渐	潮

hū táo hǎn zhù
忽 逃 喊 注

hū rán　　yuǎn chù chuán lái　yì shēng qiāng xiǎng　　mā ma jǐng jué de
忽然，远处传来一声枪响，妈妈警觉地

shuō　　　liè rén lái le　　bān bǐ　kuài táo ba　huí dào wǒ men de jiā
说："猎人来了，斑比，快逃吧！回到我们的家

lí qù　　　　bān bǐ tīng le mā ma de huà sā tuǐ jiù pǎo　qiāng shēng bù shí
里去！"斑比听了妈妈的话撒腿就跑。枪声不时

de xiǎng qǐ　　tā bù ān de huí tóu zhǎo mā ma
地响起，他不安地回头找妈妈。

mā ma hǎn dào　　bié huí tóu　kuài pǎo　kuài　bān bǐ
妈妈喊道："别回头，快跑！快，斑比！"

bān bǐ tóu yě bù huí de fēi kuài wǎng qián pǎo zhe　　què méi yǒu zhù yì mā ma
斑比头也不回地飞快往前跑着，却没有注意妈妈

bìng méi yǒu gēn shàng lái
并没有跟上来。

kū　yáng　zhāng

哭 扬 张

斑比终于跑回了家，可妈妈却没有回来。他哭

喊道："妈妈，你在哪里？"可茫茫的荒野里，他

听不到妈妈的回答，只有他悲切的呼唤声在荒野上

空回响。

雪又纷纷扬扬地下了起来，越下越大，什么也看

不见了。斑比不停地四处张望，他多么希望在这迷

茫的大雪中出现妈妈的身影啊！

55

过了一会儿，他听到一阵脚步声，是威武的鹿王！

"你妈妈不能再跟着你了，你必须学会自己走下去。"鹿王对斑比说，"跟我来，我的孩子。"

斑比静静地跟着爸爸走着，鹿王爸爸悲伤地说："我的孩子，不要哭，勇敢一点儿。妈妈被猎人捉去了。所以你更要珍惜自己的生命啊！"

zhèn	zhēn	xī
阵	珍	惜

56

看着爸爸勇敢从容的样子，斑比忽然觉得 充
满了力量。妈妈给他的爱是关心，而爸爸给他的
爱是力量。

chōng
充

爸爸接着说："要成为一只健壮的公鹿还要经历一番锤炼！我们走吧，孩子，从现在起，你就跟我一起生活吧。"斑比跟着爸爸，坚定地向前走去。

寒冷的冬天过去了，春天又回到了大地。经过一个冬天，斑比已经长成一只仪表堂堂的小公鹿了。

这天，猫头鹰正在树上休息，忽然感觉到脚下的小树不知道被什么东西摇晃起来。猫头鹰被震得头脑发晕，刚要生气，忽然看到了一只小公鹿。"还记得我吗？"

yáo　　　　jì　　　　zhāo
摇　　记　　招

bān bǐ duì māo tóu yīng shuō　　　　hā hā　　dāng rán jì de le　　　shì xiǎo wáng zǐ bān
斑比对猫头鹰说。"哈哈，当然记得了！是小王子斑

bǐ　　nǐ zhǎng dà le　　　māo tóu yīng gāo xìng de shuō
比！你长大了！"猫头鹰高兴地说。

zhè shí　　　sāng pǔ hé xiǎo yòu shǔ huā wěi yě pǎo guò lái hé bān bǐ dǎ zhāo
　　这时，桑普和小鼬鼠花尾也跑过来和斑比打招

hu　　bān bǐ fā xiàn sāng pǔ yě zhǎng dà le　　dàn tiáo pí　ài shuō huà de yàng zi
呼。斑比发现桑普也长大了，但调皮、爱说话的样子

què yì diǎnr　méi biàn
却一点儿没变。

sān gè hǎo péng you yì qǐ zài sēn lín li zǒu zhe　xiǎo yòu shǔ huā wěi hé
三个好朋友一起在森林里走着，小鼬鼠花尾和

xiǎo tù zi sāng pǔ xiān hòu fēn bié yù dào le piào liang de yòu shǔ gū niang hé tù zi gū
小兔子桑普先后分别遇到了漂亮的鼬鼠姑娘和兔子姑

niang　tā men liǎng ge fēn bié yǒu le zì jǐ xǐ huan de nǚ péng you　bān bǐ hái xiǎng
娘，他们两个分别有了自己喜欢的女朋友。斑比还想

hé tā men yì qǐ wán　kě péng you men dōu méi yǒu kòng péi bān bǐ le
和他们一起玩，可朋友们都没有空陪斑比了。

shī　chōng　jí
失　充　极

bān bǐ shī wàng de lái dào chí táng
斑比失望地来到池塘

biān hē shuǐ　hū rán　bān bǐ tīng dào shéi
边喝水，忽然，斑比听到谁

zài jiào tā　bān bǐ　nǐ bú rèn shi
在叫他："斑比，你不认识

wǒ le　wǒ shì huā nà ya
我了？我是花娜呀。"

bān bǐ yí kàn　　yuán lái shì huā nà　　huā nà yě zhǎng chéng piào liang
斑比一看，原来是花娜。花娜也长成漂亮

de lù gū niang le　　　yì zhǒng cóng lái méi yǒu guò de qí miào gǎn jué chōng yíng
的鹿姑娘了，一种从来没有过的奇妙感觉充盈

zài bān bǐ de xīn jiān　　bān bǐ fā xiàn zì jǐ yě ài shàng le měi lì de huā
在斑比的心间。斑比发现自己也爱上了美丽的花

nà　　bān bǐ gǎn jué dào xìng fú jí le
娜，斑比感觉到幸福极了。

一天，他们正漫步在春天的森林里，突然，一只高大的公鹿走过来，蛮横地插在斑比和花娜之间。公鹿用敌视的眼光看着斑比。

斑比有点儿害怕，不由得倒退了几步。那只公鹿得意极了，居然要强行带走花娜。

"斑比！斑比！"花娜呼唤着斑比。

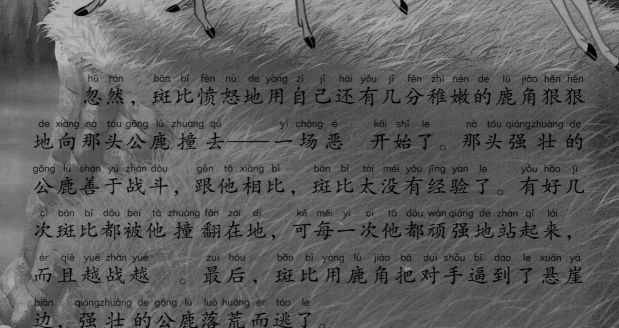

忽然，斑比愤怒地用自己还有几分稚嫩的鹿角狠狠地向那头公鹿撞去——一场恶战开始了。那头强壮的公鹿善于战斗，跟他相比，斑比太没有经验了。有好几次斑比都被他撞翻在地，可每一次他都顽强地站起来，而且越战越勇。最后，斑比用鹿角把对手逼到了悬崖边，强壮的公鹿落荒而逃了。

dí hài jū
敌 害 居

zhàn yǒng
战 勇

zài yì páng guān zhàn de huā nà yóu zhōng de wèi bān bǐ gǎn dào
在一旁观战的花娜由衷地为斑比感到
zì háo tā xìng fú de kào zài bān bǐ de jiān tóu tā men yī
自豪。她幸福地靠在斑比的肩头，他们依
wēi zhe xiàng cóng lín zhōng zǒu qù
偎着向丛林中走去。

yóu
由

一天黎明时分，大地还在沉睡中。突然，睡梦中的斑比好像被什么声音惊醒了。他机警地竖起耳朵，小心地走出他和花娜藏身的丛林，不安地向高坡上走去。

鹿王也来了。他看到山下猎人点起了火把。

chén	pō
沉	坡

71

wū yā bèi jīng de sì chù luàn fēi
乌鸦被惊得四处乱飞。

shì rén lèi　　tā men yě lái le　　zhè huí yǒu hěn duō liè rén　　yì cháng
"是人类，他们也来了，这回有很多猎人。"一场

cán kù de liè shā jiù yào kāi shǐ le　　lù wáng jiào bān bǐ mǎ shàng gēn tā táo zǒu
残酷的猎杀就要开始了。鹿王叫斑比马上跟他逃走，

wǒ men bì xū dào sēn lín shēn chù qù
"我们必须到森林深处去。"

huā nà　　　　bān bǐ xiǎng dào huā nà hái méi xǐng　　biàn lì kè zhuǎn shēn huí qù
"花娜！"斑比想到花娜还没醒，便立刻转身回去

zhǎo tā
找她。

72

wū yā

乌鸦

73

刚刚醒来的花娜找不到斑比，惊慌失措地在森林里到处乱撞。枪声不断地从远处传来。

花娜遇到了猎狗群，无法脱身。

惊　失　脱

<ruby>引<rt>yǐn</rt></ruby> <ruby>抬<rt>tái</rt></ruby> <ruby>挣<rt>zhēng</rt></ruby>

斑比这时赶了过来，为了引开猎狗，斑比爬到高
坡上纵身跳了下去，倒在了草地上，他累得站不起
来了。

猎人的火把还在燃着，引燃了周围的草木，火势渐渐向斑比逼近，他无力地抬了一下头，又垂了下来。就在这时，鹿王出现了。

"起来斑比！你必须起来！"他命令斑比马上站起来跟他走。斑比终于挣扎着站了起来，跟着鹿王向前跑去。

火越烧越旺，不断倒下的树木又引燃了其他草木，大火快速蔓延，燃着了整个森林。所有的动物都在狂奔逃命。经验丰富的鹿王带着斑比沿着河岸拼命地奔跑。忽然，一根燃得正旺的断木从他们的背后砸落下来，他们连忙纵身跃下瀑布，向下游游去。

燃 rán
砸 zá

79

bù jiǔ　　　dòng wù men cóng sì miàn bā fāng jù jí dào le yí gè xiǎo
不久，动物们从四面八方聚集到了一个小

dǎo shang　　huā nà jiāo jí de zài dòng wù zhōng xún zhǎo zhe bān bǐ　tū
岛上。花娜焦急地在动物中寻找着斑比。突

rán　　tā kàn jiàn le zhèng xiàng zhè biān yóu lái de bān bǐ hé lù wáng　bān
然，她看见了正向这边游来的斑比和鹿王。斑

bǐ hé huā nà zhōng yú tuán jù le　　wàng zhe dà huǒ　tā men dōu yǒu yì
比和花娜终于团聚了，望着大火，他们都有一

zhǒng chóng huò xīn shēng de gǎn jué
种 重 获新生的感觉。

chóng
重

81

谁也阻挡不了生命的力量，大火之后的森林又渐渐恢复了生机。鲜花露出了笑脸，小草舒展了翠绿的叶子。

一天，睡梦中的猫头鹰被一阵整齐的脚步声吵醒了。原来是桑普带着他的孩子们让猫头鹰去见证一个好消息。

lòu	shū	cuì
露	舒	翠

tíng　shuāng　huó
停　双　活

māo tóu yīng yí huò de gēn zhe tā men　　tā kàn jiàn suǒ yǒu de dòng wù men dōu
猫头鹰疑惑地跟着他们，他看见所有的动物们都

wǎng yí gè dì fang pǎo qù　zhōng yú　zài yì kē dà shù xià　tā men tíng zhù le jiǎo
往一个地方跑去。终于，在一棵大树下，他们停住了脚

bù　yuán lái　bān bǐ de hái zi chū shēng le　ér qiě hái shi shuāng bāo tāi　huā
步。原来，斑比的孩子出生了！而且还是双胞胎！花

nà mǎn zú de kàn zhe tā de hái zi men　　tā men shì duō me huó pō kě ài
娜满足地看着她的孩子们，他们是多么活泼可爱。

zhàn　　chéng　　chēng

站　程　称

　　gāo pō shang　　bān bǐ hé lù wáng zhàn zài yì qǐ　　lù wáng zhèng shì jiāng
高坡上，斑比和鹿王站在一起。鹿王正式将

wáng wèi ràng gěi le bān bǐ　　huí xiǎng qǐ bà ba zhī qián gēn zì jǐ shuō guo de
王位让给了斑比。回想起爸爸之前跟自己说过的

huà　　hái yǒu zì jǐ de chéng zhǎng lì chéng　　wàng zhe yuǎn chù de huā nà hé gāng
话，还有自己的成长历程，望着远处的花娜和刚

chū shēng de xiǎo lù　　bān bǐ yì liǎn de jiāo ào　　tā zhī dào zì jǐ shì bú huì
出生的小鹿，斑比一脸的骄傲，他知道自己是不会

gū fù　　lù wáng　　zhè ge chēng hào de
辜负"鹿王"这个称号的。

小鹿斑比

阅 读 理 解

小朋友，你来选出正确的答案吧！

1. 是谁教斑比认识了小鸟、蝴蝶和花？

   A. 妈妈   B. 桑普   C. 小鼬鼠

2. 在整个故事中，斑比一共经历了几次人类猎杀动物活动？

   A. 一次   B. 两次   C. 三次

你能从文中找出描写斑比和公鹿争斗的句子吗？

_____

_____

_____

猎狗围攻花娜时，斑比是怎样营救花娜的？

_____

_____

_____

小鹿斑比

请按照故事发展的前后顺序为下列各图排序。

（　　　）

斑比用鹿角摇晃树木把猫头鹰震醒了。

（　　　）

鹿王和斑比站在高坡上，斑比暗下决心，不会辜负"鹿王"的称号。

（　　　）

鹿王和斑比纵身跳下瀑布。

小鹿斑比

生 字 表

页数	生字	组词	页数	生字	组词
P2	恢 huī	恢复　恢宏	P24	芳 fāng	芳香　芳龄
	复 fù	复习　反复		索 suǒ	绳索　索求
P5	诞 dàn	诞生　诞辰	P27	丛 cóng	花丛　丛林
	桑 sāng	沧桑　桑叶			
P9	斑 bān	斑点　斑驳	P28	汇 huì	汇集　汇报
				恐 kǒng	惊恐　恐怖
P10	耸 sǒng	耸立　耸人听闻		怀 huái	怀抱　怀疑
P14	印 yìn	印刷　脚印	P36	母 mǔ	母亲　母性
	绊 bàn	磕绊　绊手绊脚		调 tiáo	调皮　调料
P17	试 shì	试验　跃跃欲试	P38	威 wēi	威风　威严
				凛 lǐn	凛冽
P19	障 zhàng	一叶障目　屏障		尊 zūn	尊重　尊敬

小鹿斑比

生 字 表

页数	生字	组词	页数	生字	组词
P41	chà 差	差劲儿	P52	jǐng 警	警察　警觉
	zhuàng 撞	撞倒　撞击		sā 撒	撒手　撒娇
P43	lèi 类	类别　异类		zhōng 终	终点　剧终
				máng 茫	茫然　茫茫
P47	bīng 冰	冰雪　冰块	P55	huāng 荒	荒废　饥荒
	huá 滑	滑冰　滑梯		bēi 悲	悲凉　悲伤
	dǒng 懂	懂得　懂行		huàn 唤	唤醒　唤起
P48	hòu 厚	薄厚　厚实	P56	wǔ 武	武力　威武
	zhē 遮	遮蔽　遮挡			
P49	dǒu 抖	抖落　抖动		fān 番	一番　番茄
	màn 漫	漫画　漫步	P59	chuí 锤	锤子
				jiān 坚	坚强　坚持
P50	róng 融	消融　融合	P60	huàng 晃	晃动　晃荡

生 字 表

页数	生字	组词		页数	生字	组词	
P60	震 zhèn	地震	震惊	P68	衷 zhōng	衷心	热衷
	晕 yūn	晕倒	眩晕		豪 háo	自豪	豪爽
					依 yī	依靠	依次
P65	盈 yíng	轻盈	笑盈盈	P71	竖 shù	竖立	竖琴
P66	蛮 mán	野蛮	蛮荒	P72	乱 luàn	混乱	乱子
	横 hèng	横财	横蛮	P74	措 cuò	措施	措手不及
	插 chā	插入	安插				
	强 qiáng	强大	坚强	P77	势 shì	势力	形势
	愤 fèn	愤慨	激愤		垂 chuí	低垂	垂钓
	怒 nù	惹怒	怒气				
	稚 zhì	幼稚	稚气	P78	蔓 màn	蔓草	
	嫩 nèn	鲜嫩	嫩芽		延 yán	延长	延迟
	狠 hěn	狠心	凶狠		狂 kuáng	疯狂	狂风
	恶 è	恶人	凶恶		富 fù	富裕	丰富
	善 shàn	善良	善心				
	验 yàn	实验	验证				
	逼 bī	逼迫	逼近				

小鹿斑比

生 字 表

页数	生字	组词	页数	生字	组词
P81	岛 dǎo	岛屿　冰岛	P85	惑 huò	迷惑　疑惑
	获 huò	获得　获取		胞 bāo	同胞　胞弟
				胎 tāi	脱胎换骨　胚胎
P83	阻 zǔ	阻碍　劝阻	P86	骄 jiāo	骄傲　骄子
	挡 dǎng	挡住			
	证 zhèng	证明　证件			

小鹿斑比

流 利 阅 读 第 1 级 总 字 表

本字表为现行小学一至二年级上语文课本总字表，按在课本中出现的顺序排列。

识	字	一	去	二	三	里	课	文	原	烟	村	四	五	家	亭
台	六	七	座	八	九	十	枝	花	口	耳	目	羊	鸟	兔	日
月	火	木	禾	竹	在	沙	发	茶	几	报	书	架	水	灯	挂
钟	电	视	话	晚	上	爸	看	妈	我	他	们	送	步	水	果
笑	了	也	操	场	打	球	拔	河	拍	跳	高	跑	季	踢	踢
足	铃	声	响	下	是	热	闹	天	锻	身	体	好	穗	排	草
芽	尖	对	小	说	人	春	荷	叶	圆	蛙	夏	谷	冬	江	弯
鞠	着	躬	秋	雪	唱	大	肚	子	青	苗	就	油	门	窗	画
中	游	顺	流	儿	漂	鱼	两	岸	顽	墙	绿	宽	到	穿	南
米	乡	哪	房	最	要	亮	本	的	密	有	棵	明	光	疑	前
香	屋	后	成	行	开	数	学	堂	白	床	阳	像	拉	金	暖
衣	裳	不	冷	撑	船	色	伞	静	爷	蓝	晨	左	右	帘	霜
举	头	望	低	故	为	坐	只	见	夜	早	狗	鸭	孔	雀	洒
遍	田	野	山	因	更	面	长	闪	星	狗	鸡	颗	堆	自	进
谁	捉	住	比	宝	影	常	跟	锦	黑	群	笔	尺	作	它	
朋	友	尾	巴	短	松	跟	鼠	条	公	铅	脑	很	快	黄	
牛	猫	杏	桃	把	猴	个	边	多	少	用	瓜	角	萝	选	
商	包	奶	腿	革	个	毛	松	洗	粉	姨	豆	风	土	业	
东	西	从	货	牙	食	收	菜	阿	铅	椒	片	能	走	算	
出	付	钱	买	手	林	森	众	辣	告	紫	瓜	鲜	卜	尘	
卷	心	细	男	些	迷	藏	升	想	越	老	诉	路	能	遥	
灭	力	北	休	方	便	品	嘴	式	非			壮	观	雨	
远	北	京	城	安	广		旗	仪						点	清

小鹿斑比

流 利 阅 读 第 1 级 总 字 表

本字表为现行小学一至二年级上语文课本总字表，按在课本中出现的顺序排列。

云	彩	飘	落	来	半	空	问	你	回	答	呢	没	久	平	搭
积	借	醒	枕	放	布	熊	祝	乐	怎	忘	饭	班	拿	知	起
装	她	正	往	按	物	总	今	孩	者	稀	鸿	让	玩	道	舞
歌	听	累	觉	赶	柴	舍	旺	絮	合	晴	哎	甜	束	教	道
救	却	化	变	砍	满	烧	年	引	眼	激	丽	线	欢	邓	版
级	册	柳	雷	澡	软	梳	舍	柏	动	蒲	英	欢	以	连	争
论	趣	题	底	淋	麻	滴	杜	处	姑	铁	致	以	关	掉	植
节	令	难	万	拂	岁	龄	引	全	莺	填	锹	关	近	写	挖
坑	额	汗	珠	肯	时	挑	柏	射	握	精	填	改	改	然	扶
栽	战	士	脸	意	秘	亲	处	首	妙	修	赛	近	孟	喜	啥
换	剧	咿	完	眈	童	频	员	晓	叫	居	改	浩	乎	事	稿
疲	劳	提	议	音	醉	蹈	诗	趁	首	鸢	孟	喜	做	服	眠
闻	啼	鼎	堤	杨	绢	秘	散	帮	挠	痒	胖	事	鸢	医	兰
张	刚	贴	替	拖	鞋	古	归	铺	脱	窝	乎	服	痒	仿	情
棉	照	晒	被	峰	湿	散	厨	顾	窝	舒	做	医	窝	茂	于
摆	脚	伸	咦	愿	干	姥	钻	定	珍	伙	眉	仿	舒	袋	垫
悄	离	户	队	愉	女	盖	气	急	病	捧	领	茂	伙	介	佛
抬	投	向	聪	活	糕	蛋	取	焦	急	将	同	袋	捧	摸	先
鹅	卵	石	鹿	慢	蛋	泼	如	埋	蒙	吾	双	介	将	工	推
辆	车	扫	帚	认	泼	坂	蝇	眉	捂	围	请	摸	吾	枚	绍
专	准	备	唐	师	垃	浇	失	领	围	睁	微	工	围	晴	齐
喊	塑	饮	罐	严	浇	肃	丢	同	睁	池	惜	枚	睁	蜻	牧
骑	振	橄	欲	餐	肃	鸣	随	双	池	阴	晴	晴	池	蜓	蜓

蚂潮断邀慌秤刻部匹羽练背吩蹦实驰环兄镰玲狐徽抢啪橙室览负

惊闷挣熟缸杆碑雄奔由整维承啄特列染脾扬紧极区著荚须补冒肩

哭割咬校司重解害翠祖狮莎继蚜术污通咱蹬怕勤脖豌君委演烂

鸣坡蛇街渐柱命当碧希担玛盆煮幢魔速神板披湖雁巨洼傲李计灿

莲假蚊太瓶革枪稻充饿应掰表浪叠浮驾弟咕频指铠残牵决抓

嘻虫虎新渴曹导突坦界肥靠夹丝波折悬驾弟咕频指铠残牵决抓

呱萤壁转喝官席圈世施凭管拥遇哧磁名耐迎愧梨膊纷乘擎除迟普

蹲法哗傻鸦国坝伏菇贺翻吞保盛程梦忍鲤惭读胳乘擎除迟普

膀办阵掌乌象洲荡采淌灰洋记规巧燃创卫蚪孙峭娃尽院欠赞

翅谢隆候哦称瑞敌贝吹度懒汽分桥内脊与蝌坏图陡降轼跪哈利

展爬轰伯该破井哨敬另共育且划蒸建缚骨戚抱旅苏丁元纵

坪腰搬甩僵砸量军滩技苦概培而驶查讲叨碎擦扔仙岩刘株零始

机塘消别冻劲舱助虾科理撕粗宣俩顶弄至唠跌疼扛其状赠斜集蔼

停根篮拨温使沉团艘楼敢扑娜并咧砖励朝睐斗噔玉尤形察径切祥

晶趴挎尝块冲王海市勇滚糟臣瓢璃鼓夕限筋敲拦秀琴信寒愣慈

摇蚁沾逃伴吓杀念涛骏丰习矿咐叔玻厢型缠腾嘟狸省弹炸橘宁怦

小鹿斑比

流利阅读第 1 级总字表

本字表为现行小学一至二年级上语文课本总字表，按在课本中出现的顺序排列。

责 任 庆 献 帜 洁 鸽 奏 曲 亿 央 庄 阔 蠹 民 纪
荫 交 毯 似 拼 案 川 胜 迹 优 厦 功 申 奥 运 讯
传 约 涌 聚 锣 呼 华 相 互 击 泪 克 湾 店 橱 接
银 仗 盼 百 错 际 葫 芦 藤 盯 邻 治 喂 浅 呗 虽
抽 续 吸 秧 纤 夫 号 帆 绳 示 易 筝 踪 伤 酸 葡
萄 串 迫 待 硬 狷 猬 凳 糙 但 傍 椅 泄 惹 吐 桌
盒 削 扎 幸 拴 福 吵 受 句 兽 轮 期 第 熬 惯 眯
郑 亚 呆 猜 裙 周 叽 喳 代 逗 良 缩 粒 寻 健 康
嬉 戏 则 昨 衰 镶 纱 美 慕 套 份 妹 族 州 寄 费
寨 偶 章 鬓 牌 客 何 汪 伦 舟 踏 潭 千 蓬 跃 灵
棱 护 巢 斩 父 澈 缓 侧 纹 欣 赏 镜 映 幻 峦 攘
企 跨 甚 死 宇 篇 雾 喃 恩 味 浓 瞬 猎 黎 袍 碰
電 倒 哩 返 殊 航 必 绑 辨 即 稍 咳 嗽 退 钩 牢
网 件 喷 设 设 浴 器 博 杯 悉 绝 肉 鲟 历 史 鳞
核 缺 乏 稀 农 贡 杂 产 养 棚 模 确 控 厂 织 禁